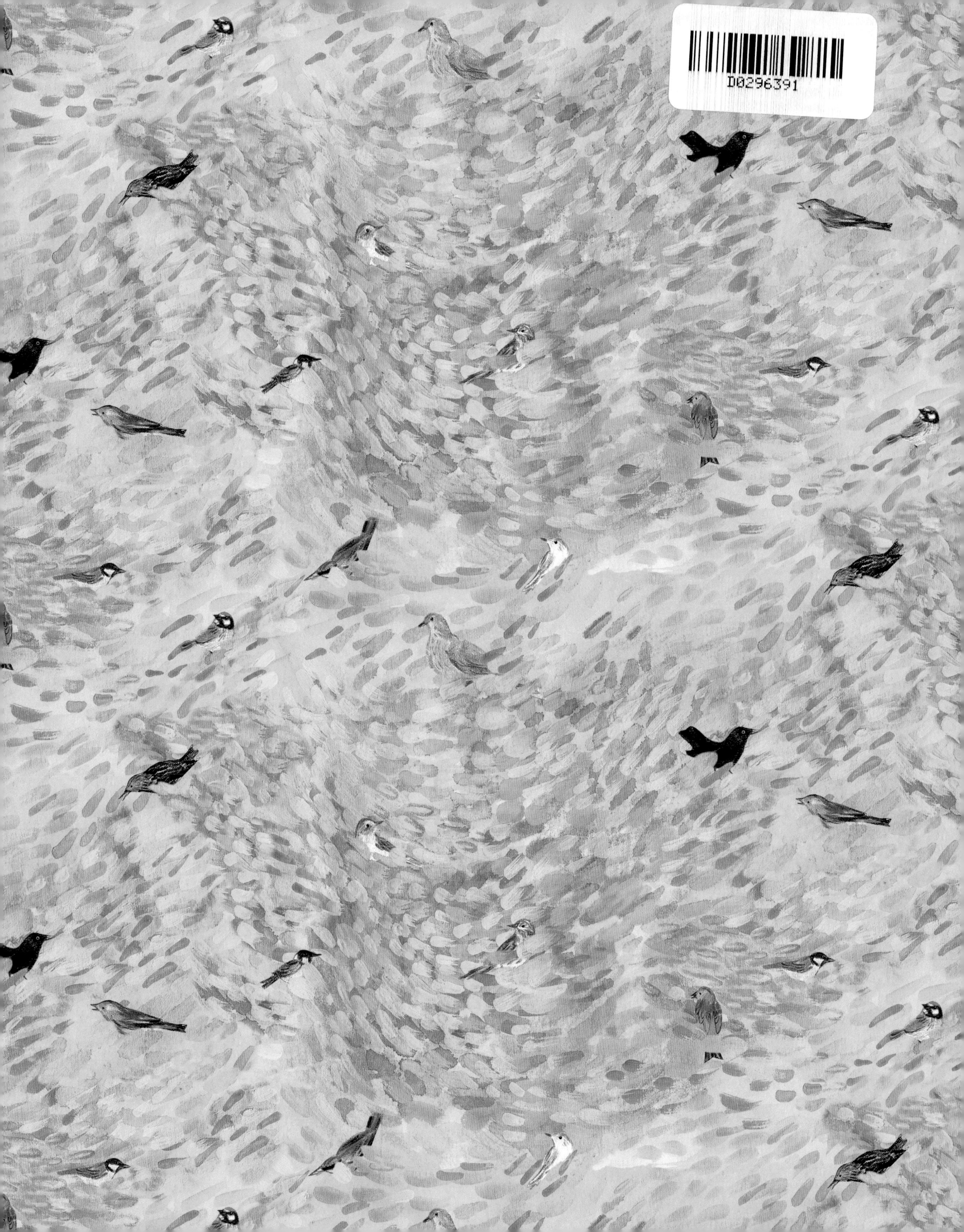
D0296391

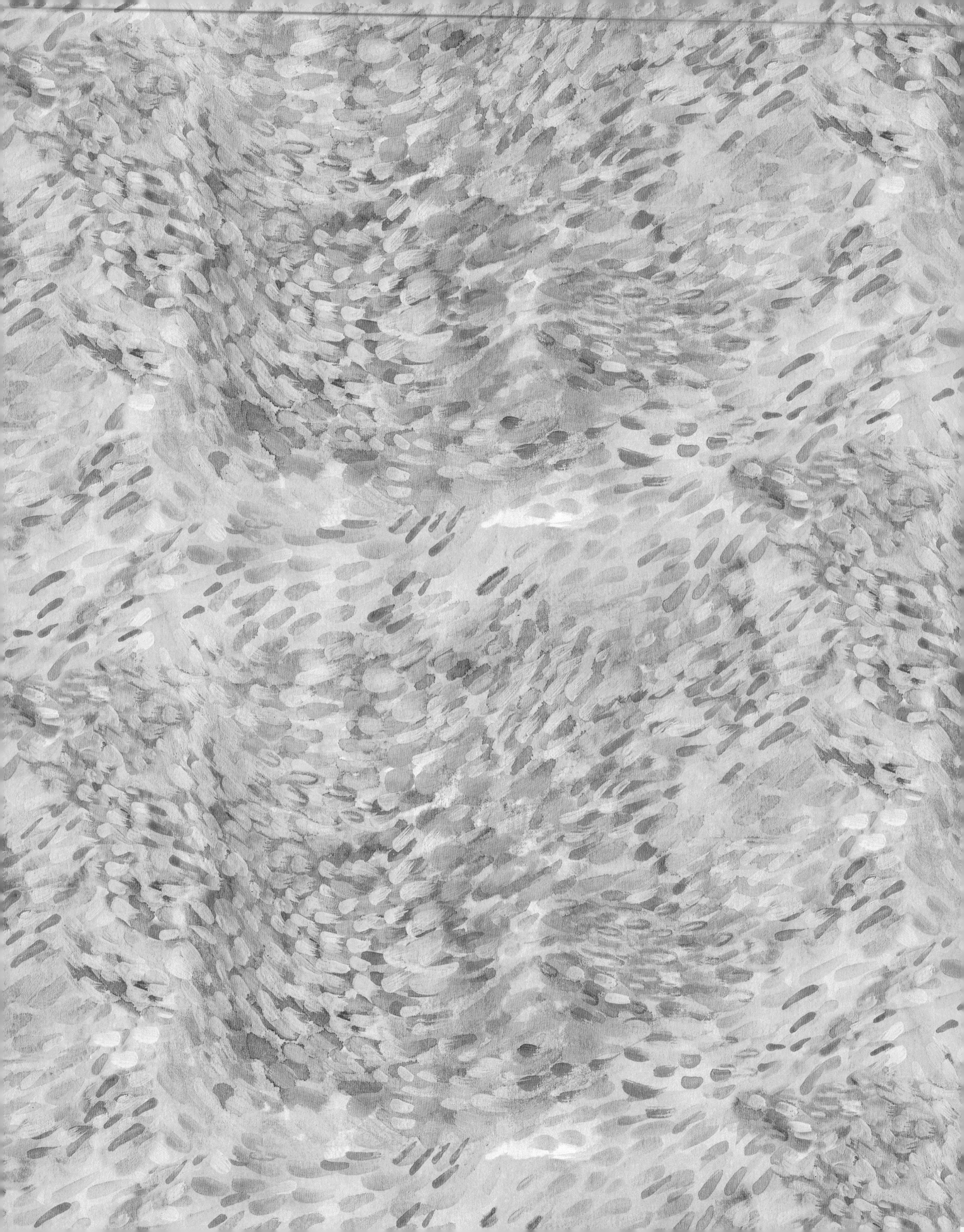

Plattegrond van het bos
Pad
Hazelaars-bos
Huis van Muis
De Yurt
Vuur-plek
Dennenbos
Boomhut van Grijze Eekhoorn
Caravan van Vos
Huis van Rode Eekhoorn
Huis van Egel
De oude Kersenboom
Huis van Konijn
Boshyacinthenveld
De Appel-bomen
Volkstuin van Das
Vlierbloesem-plek
Huis van Otter
Hut van Zevenslaper
Wilde aardbeienplek
De rivier

Het bos van Muis

Een jaar in de natuur

ALICE MELVIN

Tekst: William Snow

Dit boek is voor Julian, 1979–2018, en voor het wilde, groene land dat me houvast gaf toen ik dat het meeste nodig had – AM

Vertaling: Jeanette Kramp
Layout en zetwerk: Jaap Verheij
Oorspronkelijke titel: *Mouse's Wood*
Oorspronkelijke uitgever: Thames & Hudson Ltd, London 2022

ISBN 978 90 6038 952 2
Gedrukt en gebonden in China

www.christofoor.nl

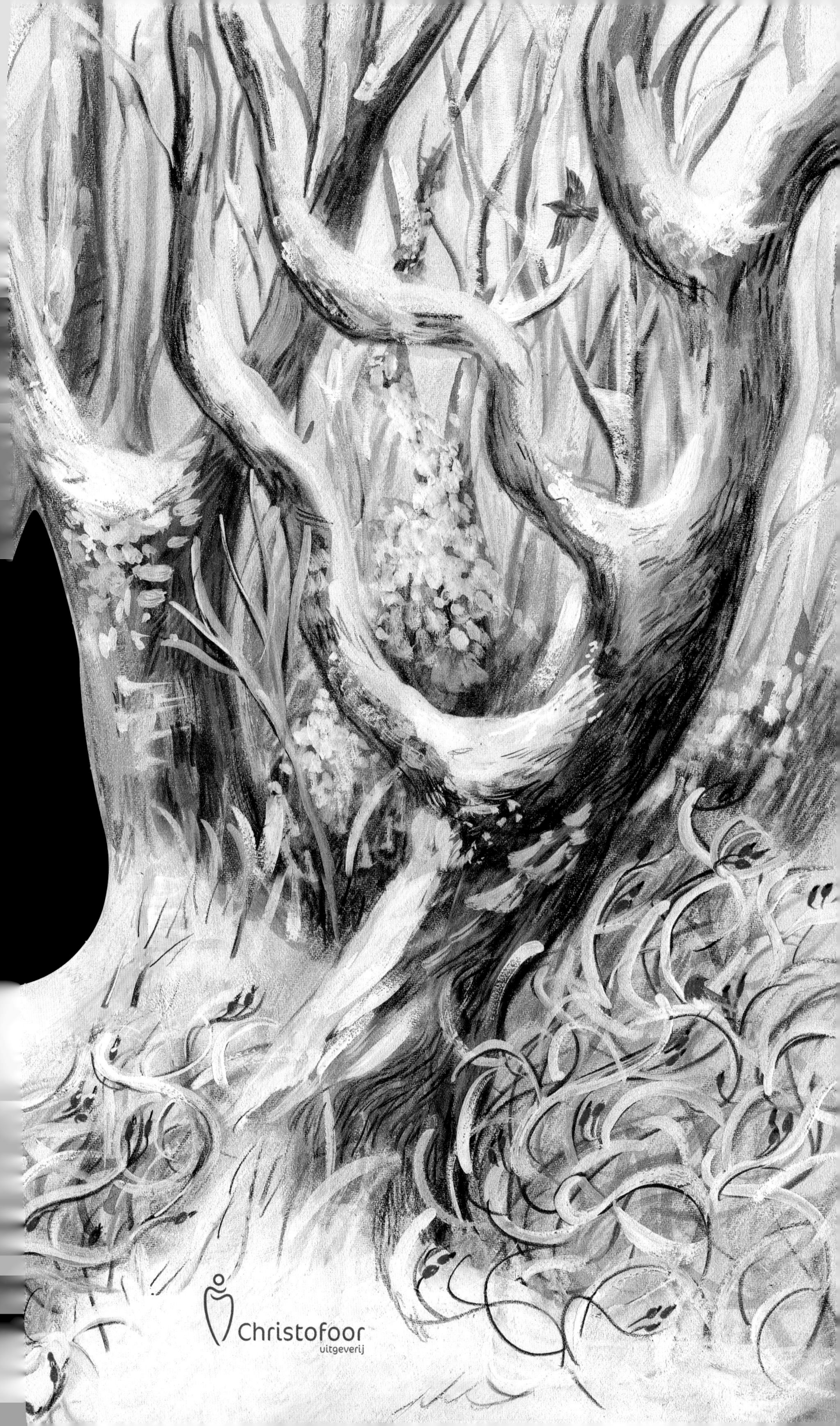
Christofoor
uitgeverij

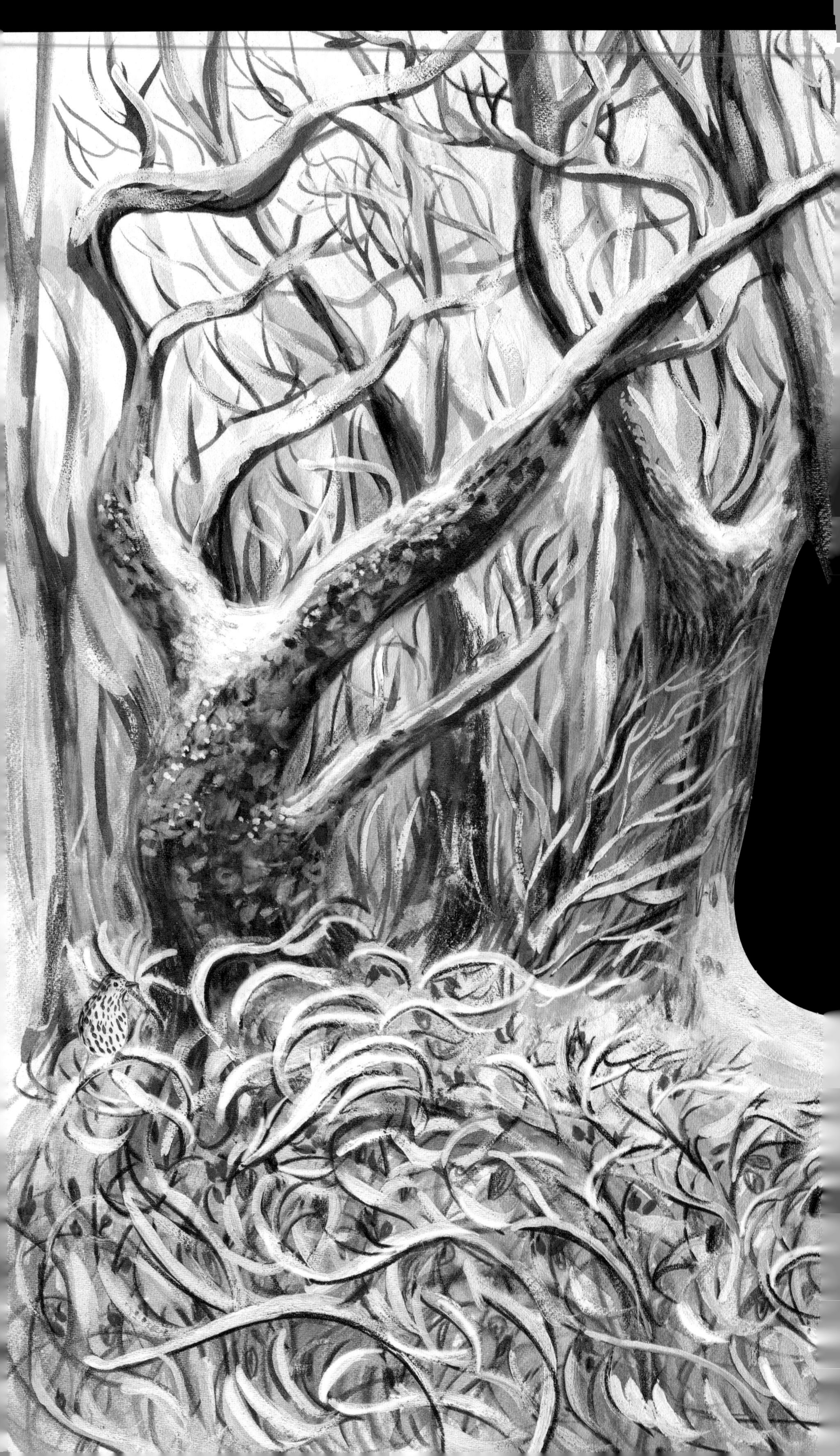

Januari… de wereld is wit en zacht.
Het nieuwe jaar is net begonnen.
Onder dikke, warme dekens
lig ik lekker lui te dommelen.

In februari pak ik me heel goed in,
want buiten is het koud en kil.
Ik slenter door de ochtendmist.
Het bos is nat en stil.

De lente wekt Egel uit zijn winterslaap.
Het is maart en een vinkje zingt.
We houden een grote schoonmaak;
buiten wapperen de lakens in de wind.

In april giet het van de regen.
Ik heb mijn rode laarzen aan.
In de kersenboom tussen de bloesem
wacht ik tot de buien overgaan.

We zitten op ons geruite picknickkleed
met lekkere hapjes erbij.
We eten, drinken en luieren wat
op een zonnige dag in mei.

Als het juni is, waait
de zomerwind zacht en zoet.
Dronken bijen gonzen om ons heen
en er zijn wilde aardbeien in overvloed…

In juli is het bos heel warm
en zwem ik vaak in de rivier..
Ik heb mijn rood gestreepte badpak aan
en spetter van plezier!

In augustus is er veel te doen!
We pakken kruiwagen, schep en spa.

We werken in de tuin van Das
en oogsten worteltjes en sla.

In september als de dagen korter worden,
plukken we bramen, een hele hoop!
We likken aan onze paarse vingers
en maken zoete jam en siroop.

In oktober spelen we in de schemering.
De herfstwind loeit en zucht.
We rennen en rollen
en gooien de blaadjes in de lucht.

In november kruipen we 's avonds bij elkaar.
Een vuurtje knettert zacht.
We kijken naar de vlammen
en naar de vonken die opstijgen in de nacht.

Lange nachten in december;
winterkou drijft ons naar binnen.
Dansend zwaaien we het oude jaar vaarwel,
waarna het nieuwe kan beginnen!

Van januari tot december,
een heel jaar is voorbijgegaan.
Ik zit op mijn stoepje en mijmer wat...
Intussen begint de kringloop van voren af aan.

Een jaar in het bos

In dit boek volg je een jaar lang het leven in het bos. Hier lees je meer over een aantal dingen die je kunt zien op de tekeningen en die je kunt vinden als je er buiten op uitgaat.

katjes en bloemen van de hazelaar

krokus

sneeuwklokje

roodborstje

knoppen van de es

JANUARI

Het lijkt alsof er in de winter niets gebeurt in de natuur. De meeste bomen hebben geen blad meer, maar als je goed kijkt, zie je de knoppen van de nieuwe blaadjes al zitten. Omdat de takken kaal zijn kun je de vogels beter zien, zoals het roodborstje met zijn helderrode borst.

knoppen van eikenblad

FEBRUARI

De natuur begint zich te roeren. In februari komen de eerste bloemen tevoorschijn. Sneeuwklokjes, krokussen en de gele winterakoniet zijn een paar van de eerste bloeiende plantjes. Kijk ook of je de gele katjes van de hazelaar ziet. Nog zo'n teken dat de lente eraan komt!

gele akoniet

bosanemoon

sleedoorn

nest van de merel

merel

kersenbloesem

MAART

narcis

In maart kun je aan heel veel dingen zien dat het lente wordt. De vrolijke, gele narcis herken je zo, maar de tere witte bosanemoon is moeilijker te vinden. Als je die tegenkomt, ben je waarschijnlijk in een heel oud bos. Eén van de eerste struiken die gaat bloeien is de sleedoorn. De witte bloemetjes zorgen voor pollen en nectar voor de bijen.

APRIL

De kersenbomen bloeien uitbundig in april. De bloemetjes van de wilde kers zijn wit en op de grond wordt het ook wit als de daslook gaat bloeien en zijn doordringende geur zich verspreidt. Gebruik je ogen én je neus om hem te vinden! De vogels zijn druk in de weer met hun nesten. Sommige zijn al begonnen met eitjes te leggen.

daslook

bruin zandoogje

koolwitje

MEI

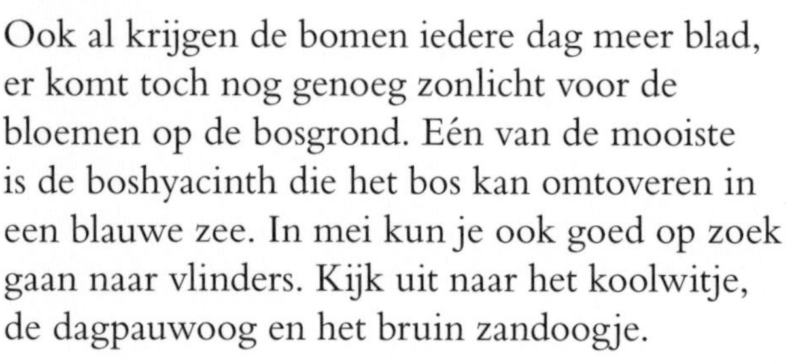

Ook al krijgen de bomen iedere dag meer blad, er komt toch nog genoeg zonlicht voor de bloemen op de bosgrond. Eén van de mooiste is de boshyacinth die het bos kan omtoveren in een blauwe zee. In mei kun je ook goed op zoek gaan naar vlinders. Kijk uit naar het koolwitje, de dagpauwoog en het bruin zandoogje.

boshyacinth

dagpauwoog

vlierbloesem

JUNI

De lente gaat over in de zomer en de bomen worden donkerder groen. Er verschijnen trossen van piepkleine witte bloemetjes aan de vlier; hun zoete geur trekt allerlei insecten aan. Misschien heb je geluk en vind je op de grond wilde aardbeitjes. Het vingerhoedskruid met zijn lange stengels bloeit ook in juni. Maar pas op: niet plukken, hij is heel erg giftig!

vingerhoedskruid

wilde aardbeien

huiszwaluw

Juli

In de zomer zijn de vogels nog druk in de weer met hun jongen. Misschien zie je hoe jonge vogels leren vliegen en zwemmen (als het watervogels zijn). Veel vogels, zoals de huiszwaluw, hebben lange afstanden afgelegd. Zij brengen de winter en de zomer door op plekken die duizenden kilometers uit elkaar liggen.

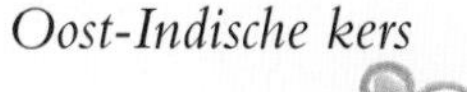

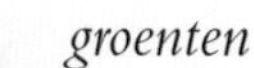

Augustus

Midden in de zomer hoor je minder vogels zingen en je ziet ze ook minder. Dit komt omdat veel vogels dan in de rui zijn; ze verliezen hun oude, versleten veren en krijgen nieuwe die hen warm houden in de winter. Augustus is een heerlijke tijd in de tuin: al die bloeiende bloemen en groentes die geoogst kunnen worden en het fruit aan de bomen dat rijp wordt in de warme zon.

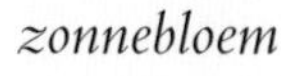

hazelnoten

bramen

eikels

September

Als de herfst begint, verandert de kleur van het bos langzaam van groen naar prachtige tinten geel, oranje, rood en bruin. Vogels en andere dieren zijn druk bezig met het zoeken naar vruchten, noten en zaadjes voordat de winter invalt. Je kunt eikels en hazelnoten zoeken. Bramen zijn een heerlijke, zoete lekkernij voor de dieren en voor ons! De rozenbottels in de heg maken de herfst nog kleurrijker.

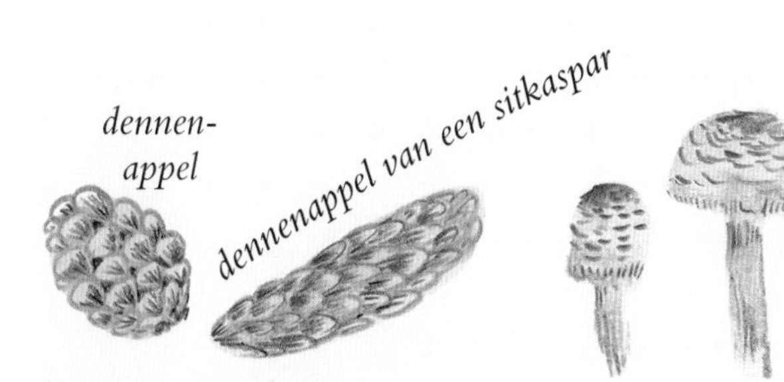

Oktober

Het is nu echt herfst. De blaadjes hebben geen nut meer voor de boom en beginnen te vallen. Eenmaal op de grond blaast de wind ze op een hoop. Groenblijvende naaldbomen houden hun naalden vast, maar laten wel dennenappels vallen. Ze liggen in allerlei soorten en maten, afhankelijk van de boom, op de grond in het bos. Oktober is een goede maand om op zoek te gaan naar paddenstoelen. Sommige wilde paddenstoelen zijn giftig, zorg ervoor dat je die niet aanraakt.

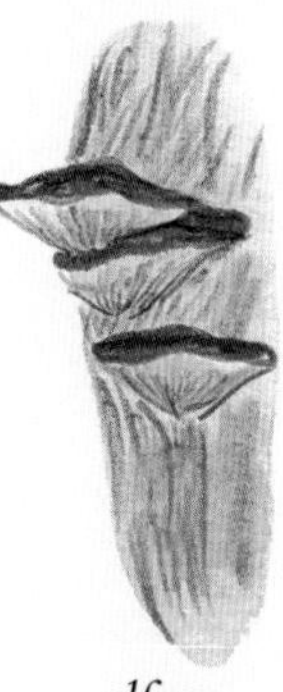

November

Hulst is een groenblijvende boom; de glanzende bladeren zijn het hele jaar door een schuilplaats voor wilde dieren. Alleen de onderste bladeren zijn stekelig. Hoger in de boom hebben ze geen stekels meer nodig om zich te beschermen. De helderrode bessen van de vrouwelijke bomen zijn een belangrijke voedingsbron voor vogels en andere dieren.

maretak

December

De bossen zijn kaal en terug in de winterstand. Alleen de groenblijvende planten zorgen nog voor wat kleur. Sommige van deze planten worden gebruikt bij de winterfeesten. Met hulst, klimop en maretak wordt het huis versierd, kransen worden aan de deur gehangen en sparrenbomen naar binnen gebracht en opgetuigd.

Wie wonen er in het bos?

Grijze eekhoorn
Grijze eekhoorns zijn overdag actief. Het zijn uitstekende klimmers. Ze maken hun nest hoog in de toppen van een boom.

Bosmuis
De bosmuis is 's nachts actief. Hij is heel snel, waarbij hij bij gevaar zijn grote achterpoten gebruikt om weg te springen. Hij graaft een hol onder de grond waar hij slaapt, voedsel bewaart en voor zijn jongen zorgt.

Egel
Egels houden in de winter een winterslaap en komen in de lente weer tevoorschijn. Een egel beschermt zichzelf door zich op te rollen tot een stekelige bal.

Konijn
In het wild wonen konijnen in holen en gangenstelsels. Ze leven in grote groepen en blijven het grootste deel van de dag onder de grond. Ze zijn actief in de schemering en bij zonsopgang.

Vos
De vos heeft zich zo aangepast dat hij zowel in de stad als in de natuur kan leven. Het vossenhol wordt ook wel een burcht genoemd.

Spitsmuis
De spitsmuis heeft kleine oogjes, een puntige neus en is kleiner dan de gewone muis. Hij is altijd druk met het zoeken naar voedsel omdat een spitsmuis zeker iedere drie uur iets moet eten.

Das
Dassen leven onder de grond in dassenburchten. Ze hebben sterke voorpoten die ze gebruiken om te graven in de aarde op zoek naar regenwormen, waar ze dol op zijn.

Rode eekhoorn
De rode eekhoorn is kleiner dan de grijze eekhoorn en heeft lange pluimoren. Ze wonen het liefst in grote bossen met naaldbomen zoals de den en de spar.

Zevenslaper
Anders dan de meeste muizen heeft de zevenslaper een pluimstaart. Het is moeilijk om ze in het wild te zien. Ze zijn heel zeldzaam én bijna driekwart van het jaar slapen ze!

Otter
Otters zijn uitstekende zwemmers die in ondergrondse holen langs de waterkant leven. Ze voeden zich voornamelijk met vis.

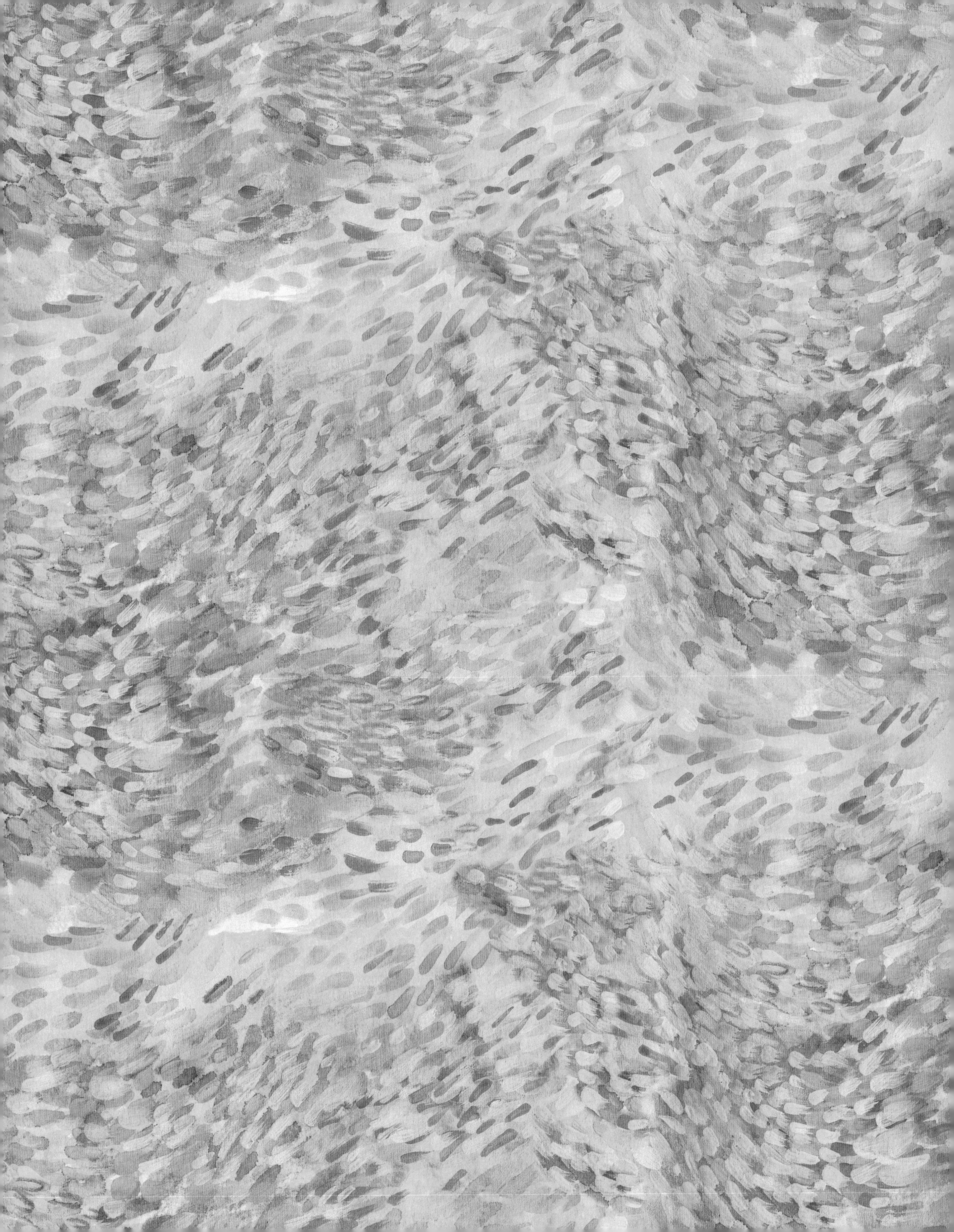

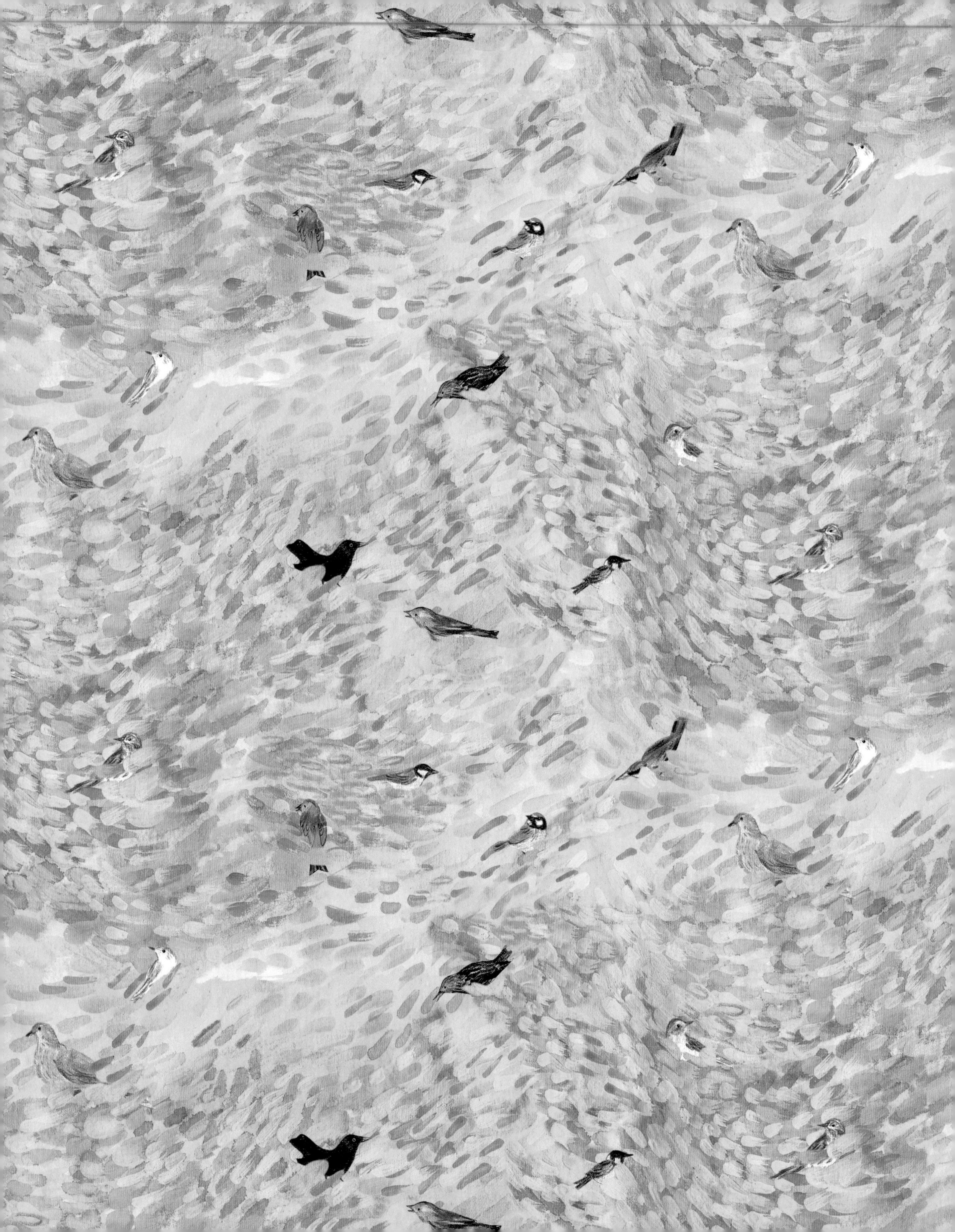